Opération Noël

À Martin, mon plus beau cadeau de la vie

Les Éditions du Boréal remercient le Conseil des arts du Canada
pour son soutien financier ainsi que le Fonds du livre du Canada (FLC).
Canadä

Les Éditions du Boréal sont inscrites au Programme d'aide aux entreprises
du livre et de l'édition spécialisée de la SODEC et bénéficient du Programme
de crédit d'impôt pour l'édition de livres du gouvernement du Québec.
Québec ⁑

Diffusion au Canada : Dimedia
Diffusion et distribution en Europe : Volumen

*Catalogage avant publication de Bibliothèque et Archives nationales
du Québec et de Bibliothèque et Archives Canada*

Bourget, Édith, 1954-

    Opération Noël

    (Rouge Tomate ; 4)
    (Boréal Maboul)
    Pour enfants de 6 ans et plus.

    ISBN 978-2-7646-2395-4

    I. Lindsay, Jessica. II. Titre. III. Collection : Bourget, Édith, 1954- . Rouge
Tomate ; 4. IV. Collection : Boréal Maboul.

PS8553.O854O63   2015   jC843'.54   C2015-941886-0
PS9553.O854O63   2015

ISBN PAPIER 978-2-7646-2395-4
ISBN PDF 978-2-7646-3395-3
ISBN EPUB 978-2-7646-4395-2

Opération Noël

texte d'Édith Bourget
illustrations de Jessica Lindsay

Boréal Maboul

1

Rouge comme Noël

— Décembre, c'est mon mois préféré.

Alex, Robin et Julie lisent leurs bandes dessinées, comme si je n'avais rien dit. Mes copains deviennent toujours sourds quand ils sont captivés par leurs histoires. Moi, j'ai de la difficulté à me concentrer. J'ai juste envie de bouger. Je répète plus fort :

— J'adore le mois de décembre !

Enfin, ils lèvent les yeux.

— C'est normal, Tom, c'est le mois de Noël ! dit Julie, celle que j'aime. Tu sais que tu auras des cadeaux.

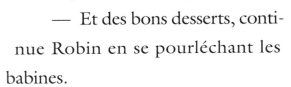

— Et des vacances, ajoute Alex, son jumeau.

— Et des bons desserts, continue Robin en se pourléchant les babines.

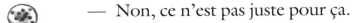

— Non, ce n'est pas juste pour ça.

Ils ont les yeux en points d'interrogation. À mon tour de les captiver. Je les fais patienter un peu, puis je lance :

— Eh bien ! j'aime décembre parce qu'il y a des lumières rouges, des emballages rouges, des décorations rouges. Et tout ce rouge me fait penser au ketchup.

Ils éclatent de rire. Ils connaissent mon penchant pour ce délicieux condiment.

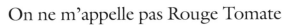

On ne m'appelle pas Rouge Tomate

 pour rien ! Il faut

6

dire aussi que mes joues ont tendance à prendre la couleur du ketchup, surtout quand Julie me regarde avec ses yeux doux. La couleur rouge, c'est aussi celle de l'amour.

— On aurait dû deviner ! s'exclame Alex.

— Oui, dis-je. On dirait que vous avez le cerveau un peu gelé.

— Pas très gentil, Tom. Ce n'est pas du tout dans l'esprit de Noël.

Ma belle Julie me regarde, les yeux un peu tristes. Va-t-elle encore m'aimer ? Je ne voulais pas les blesser, mais je trouve que nous ne faisons rien de palpitant ces temps-ci. J'ai besoin d'action, moi.

— Nos enquêtes me manquent. Pas vous ? C'est dimanche, aujourd'hui, non ?

Noël est dans vingt jours. Et que faisons-nous d'excitant ?

— Lire des bandes dessinées, c'est quand même mieux que de se tourner les pouces, remarque Alex. Ça fait du bien parfois d'être tranquille.

— Peut-être, mais moi j'aimerais qu'on bouge un peu plus. Ça nous prend un défi. Tenez, on pourrait faire quelque chose de spécial pour Noël.

— As-tu une idée derrière la tête, Tom ? Allez, on t'écoute, continue Alex alors que les deux autres approuvent de la tête.

Ils attendent que je parle. Je

réfléchis à toute vitesse. Il me faut absolument une idée ! Bon, je respire un grand coup. Mes joues se colorent d'un soupçon de rouge.

— Et si on se lançait dans une « opération Noël » ? On pourrait devenir des lutins.

— Des lutins ? s'exclament en chœur Robin, Alex et Julie.

— Oui, comme les lutins du père Noël qui font plaisir aux gens.

— Des lutins costumés ? demande Julie.

— Costumés ou pas, on est capables de donner de la joie autour de nous à Noël. Vous ne pensez pas ?

Silence. Personne ne bouge.

Zut, j'ai devant moi des statues de glace !

— Allez, on s'amuserait bien, dis-je pour les convaincre.

Au moins, personne ne se remet à lire. Ils me fixent. Robin et Julie changent de position. Ça y est ! On dirait qu'ils commencent à dégeler.

2

Les idées

— As-tu l'intention de demander au petit renne au nez rouge de nous accompagner ? lance Alex.

— Veux-tu qu'on descende dans les cheminées ? renchérit Julie en rigolant.

— Voyons, Julie, ça, c'est le rôle du père Noël, que je réponds, content qu'ils réagissent. Il faudra l'appeler pour lui dire qu'il aura quatre lutins de plus cette année.

— Tu as son numéro de téléphone ? Chanceux ! s'exclame Robin.

Je reconnais mes amis taquins. Reprenant

leur sérieux, ils me disent tous que l'opération Noël sera une occasion en or de semer des petits bonheurs. Mais comment ? Impossible de faire plaisir à tout le monde sur la Terre. On est déjà le 5 décembre. On doit d'abord penser à notre entourage.

— Je l'ai ! Je vais dessiner des monstres pour tous nos camarades de classe, suggère Julie.

— Nous, qu'est-ce qu'on peut faire ? se demande Alex, son jumeau.

Oui, voilà la question. Qu'est-ce qu'on va trouver pour rendre les gens heureux ? Je me rends compte que mon

idée est plus compliquée que je croyais. Elle peut aussi prendre des proportions énormes. Suis-je vraiment prêt à consacrer tous mes moments libres à cette aventure ?

— C'est trop de travail. On laisse tomber. On n'aura plus de temps pour lire des bandes dessinées.

— Pas question ! s'exclame Julie. On a notre défi. Tu nous as mis ça dans la tête et tu veux abandonner ?

— Je voulais juste être certain que ça vous tente vraiment.

J'espère que j'ai choisi les bons mots pour que Julie oublie mon moment de faiblesse. Ouf ! Elle me sourit et continue de parler. Sauvé !

— Moi, je fais des dessins, c'est décidé.

— Je vais cuisiner des montagnes de biscuits, annonce Robin. Avec l'aide de maman.

— Tu seras juste le goûteur, j'imagine ? taquine Alex.

— Tu sauras que je sais mesurer les ingrédients et mélanger la pâte. Je suis toujours l'aide-cuisinier de maman quand elle fait de la pâtisserie.

Oups ! Robin n'est pas content. Le ton a monté. La chicane, ce n'est vraiment pas dans l'esprit de Noël non plus. J'interviens :

— Des dessins, des biscuits, c'est chouette comme cadeaux.

— Robin et moi, nous savons ce que nous ferons. Mais vous deux, Tom et Alex, avez-vous des idées ? demande Julie.

Me voilà sans voix. Je sens que mes joues deviennent rouges comme les boules de notre sapin de Noël. J'ai lancé cette idée, mais ma tête est vide, alors que Robin et Julie ont déjà trouvé quoi faire. Alex semble aussi penaud que moi. Je dois dire quelque chose et je prends la première idée qui me vient.

— Je vais donner des bouteilles de ketchup à tout le monde.

Ils éclatent de rire, bien sûr.

— Tu fais toujours le clown, remarque Alex. Tu devrais donner des spectacles !

Et je vois un sourire naître sur son visage.

Je gage qu'il vient de trouver une idée alors
que dans ma tête, il n'y a que des flocons de
neige qui virevoltent.

3
L'idée d'Alex

— Des dessins, des biscuits, c'est super, commence Alex, mais on peut faire encore mieux.

Il se tait et nous regarde. Sa jumelle le pousse un peu.

— Allez, parle, dit Julie, on n'a pas toute la vie devant nous.

— Voilà. On pourrait aller à la résidence où vit notre arrière-grand-mère. Vous savez, tout près de l'école. On apprend des chansons, on met une tuque rouge et on va chanter pour tous ces gens. On devient des lutins de Noël chantants. Imagine comme notre arrière-grand-mère serait fière de nous, Julie ! Pour ça, je suis prêt à me donner en spectacle.

— Génial ! dis-je avec un enthousiasme exagéré.

J'espère que je cache mon vrai sentiment. Pourquoi n'est-ce pas moi qui ai pensé à ça ?

Je suis un peu jaloux. Je sais, la jalousie n'est pas dans l'esprit de Noël.

— Oui, génial ! s'exclame à son tour Robin. Ils vont adorer mes biscuits !

Mes amis m'épatent. Ils sont brillants, généreux. Et moi je ne sais même pas ce que je pourrais ajouter. Un peu triste, je murmure :

— Je crois que vous pourriez vous passer de moi pour ce projet.

— Jamais, Tom ! affirme Julie. Voyons, c'est toi qui as eu cette idée !

— J'ai besoin de toi pour goûter mes biscuits, ajoute Robin.

— Et pour chanter dans la chorale, renchérit Alex. Déjà que quatre chanteurs, ce n'est pas beaucoup.

J'allume enfin et, rouge d'excitation, je lance des paroles qui m'étonnent.

— On pourrait demander à Zoé et à Jasmine de se joindre à nous. On serait trois gars et trois filles dans la chorale.

— Ah, non ! s'écrie Alex. Elles n'arrêtent pas de nous embêter. Elles vont vouloir venir avec leurs chiens. C'est interdit à la résidence.

— Non, non et non ! ajoute Robin. Vous

le savez, ils me font peur, ces molosses.

Je comprends la réaction de mes copains. Les deux filles n'ont pas dressé Réglisse et Chocolat. Ceux-ci adorent nous courir après et nous sauter dessus, surtout quand on est à vélo. Et elles les laissent faire ! Mais Julie se lance à leur défense :

— C'est vrai que Jasmine et Zoé ne sont pas toujours charmantes avec nous. Mais si on les entraîne dans notre projet, elles changeront peut-être d'attitude. Et tu l'as dit, Alex, les chiens sont interdits à la résidence. On devrait essayer, vous ne pensez pas ?

— D'accord, admet Alex, pendant que Robin chuchote un peut-être sans conviction.

Julie téléphone donc à Jasmine et à Zoé. Elles acceptent avec enthousiasme. Nous choisissons les chansons sur Internet et Robin imprime les paroles. Nous répéterons tout à l'heure chez Zoé, Jasmine y sera aussi. Demain, Alex, Robin, Julie et moi irons à la résidence pour rencontrer la directrice.

Notre arrivée chez Zoé est saluée par un concert de jappements. Ouf ! Les chiens sont enfermés dans la cour.

Zoé ouvre la porte. Derrière elle, Jasmine

chante à tue-tête *Petit Papa Noël*. Horreur : elle fausse !

— Les chiens sont meilleurs, chuchote Robin.

J'espère qu'aucune des deux amies n'a entendu ces mots blessants.

Nous enlevons bottes et manteaux et suivons les filles au salon. Enfin ! Jasmine cesse de chanter pour annoncer :

— J'ai eu une idée !

— Oui, explique-la avant qu'on répète, lui demande Zoé.

Jasmine se tortille, puis elle se lance. Je remarque qu'elle a une jolie voix quand elle parle. Et puis, elle est très douée pour expliquer les choses. Elle nous propose de passer de maison en maison samedi prochain pour ramasser de la nourriture que nous remettrons à une banque alimentaire. Pour remercier les donateurs, nous chanterons un air de Noël. Nous sommes tous emballés. Je m'exclame :

— Jasmine, c'est toi qui présenteras notre projet quand nous sonnerons aux portes !

Jasmine réfléchit quelques secondes, puis elle fait un grand sourire.

— J'accepte à la condition que je ne chante pas ! Je sais que je fausse. Mais je voulais participer à votre projet ! Ça vous va ?

Quelle bonne idée j'ai eue ! Et j'en ai encore une autre :

— Dans ce cas, Jasmine, tu seras notre chef de chœur.

Nous sommes tous d'accord. Robin distribue les paroles des chansons. Il est temps de répéter. Toute fière, Jasmine lève les bras et notre petite chorale entonne le premier air. Un chef qui bat la mesure, c'est bien pratique pour garder le rythme.

De retour chez moi, je mets mes parents au courant de la cueillette de nourriture. Maman nous félicite pour cette initiative. Elle insiste pour qu'un adulte vienne avec nous. Papa approuve. J'aime mes parents, mais comme ils disent toujours que je dois gagner en autonomie, je trouverai quelqu'un d'autre qu'eux pour nous accompagner. Je suis un grand garçon plein de ressources.

Un adulte ? Je veux bien. Et même deux…

Une fée des étoiles et un père Noël !

4

Lundi

Dès mon arrivée à l'école, je parle de mon idée à la bande.

— Quoi ? Tante Mathilde en fée des étoiles ! s'étonne Julie.

Ils se mettent tous à rire.

C'est vrai que ma voisine, qu'on appelle tous tante Mathilde, a plutôt l'allure d'une sorcière. Elle a de longs cheveux gris et elle s'habille toujours en noir. Il ne lui manque que le chapeau pointu et les verrues. Mais comme elle cuisine le meilleur ketchup maison au monde, c'est une vraie fée pour moi.

Quand je leur propose le monsieur qui
fabrique des jouets en bois comme père
Noël, ils acceptent sans hésiter. Il habite dans
ma rue et se nomme Augusto Bello. Avec sa
barbe, sa bedaine, son rire et un déguise-
ment, il passera facilement pour le vrai père
Noël.

Après l'école, nous allons leur expliquer notre projet. Monsieur Bello pousse un bon gros rire et tante Mathilde nous promet d'être la plus belle fée des étoiles au monde. Mes amis ne sont pas vraiment rassurés.

Nous allons ensuite à la résidence pour personnes âgées. Nous hésitons devant la porte du bureau de la directrice.

— À toi de cogner, Alex, dis-je en lui donnant un coup de coude. Ou toi, Julie. Elle doit vous connaître puisque votre arrière-grand-mère habite ici.

— Non, vas-y, répond Alex. Tu as eu l'idée de l'opération Noël, nous te laissons ce privilège.

Je m'exécute donc. La porte s'ouvre en grinçant. Une géante rondelette apparaît.

Elle a des yeux aussi doux que ceux d'une girafe, mais ses cheveux ressemblent à la crinière d'un lion. Va-t-elle rugir en nous voyant ? Nous manger ? Je recule d'un pas.

— Heu… Bon… Bonjour, dis-je, fasciné par le personnage.

— Bonjour, les enfants, commence-t-elle d'une voix flûtée alors que je m'attendais à un son d'outre-tombe.

Robin la fixe, éberlué. Les jumeaux rigolent en douce. Eux, ils savaient. Ils voulaient voir notre réaction. La dame se penche vers nous.

— Le chat vous a mangé la langue, les cocos ? demande-t-elle, tout sourire, en ébouriffant mes cheveux.

De gêne, mes joues se colorent de rouge.

Comment parle-t-on à une géante ? Au moment où je m'apprête à me lancer, j'entends des petits pas derrière moi.

— Mamie Fleur ! s'exclament Alex et Julie.

— Vous voilà enfin, mes trésors ! dit une vieille dame. Après votre coup de téléphone, hier, j'ai mis madame Sonia au courant de votre projet. Elle a dit oui tout de suite. Les résidents sont enchantés. Vous êtes si gentils.

L'arrière-grand-mère des jumeaux nous fait la bise à tous, même à la géante qui doit se pencher beaucoup pour la recevoir.

— Que diriez-vous de venir dans deux semaines, le samedi ? À 14 h, ça vous va ? nous propose l'aimable géante.

— Oui ! Merci ! répondons-nous en chœur, ravis que tout se règle si vite.

C'est fait. On ne peut plus reculer maintenant.

En quittant la résidence, nous sautons de joie : il neige à plein ciel ! Noël sera blanc. Youpi !

5

La cueillette

Il a neigé toute la semaine. On est samedi, jour de la cueillette des aliments. Il vente fort. Devant chez moi, emmitouflés comme si nous habitions au Nunavut, nous attendons Jasmine et Zoé.

— Zut! Pourquoi ce n'est pas lundi? On aurait congé d'école! se plaint Alex.

Nos joues sont aussi rouges que nos tuques. Le vent soulève la neige, créant un rideau blanc. Derrière le rideau, comme dans un rêve, nous voyons apparaître Jasmine et Zoé avec un traîneau… tiré par des chiens!

— Non ! Pas vrai ! s'écrie Robin. Pas vos chiens fous !

— Réglisse et Chocolat vont transporter la nourriture, explique Zoé. Ils seront calmes, je te jure ! Ils aiment tirer un traîneau. Ça fera penser à celui du père Noël.

— Ils vont tout manger et nous avec, se lamente Robin. En tout cas, je vais me tenir loin d'eux.

Les bêtes battent de la queue, mais ne jappent pas. Les flocons tourbillonnent. Nous ressemblons déjà à des bonshommes de neige.

— On y va. Tante Mathilde et monsieur Bello chont chûrement prêts, dis-je, la bouche gelée.

Il est temps d'aller cogner chez ma voisine, notre fée des étoiles.

En la voyant, Julie grimace. Moi, je suis certain que tante Mathilde a fait de son mieux. Hélas, elle ressemble à une sorcière des étoiles avec son long manteau noir, même si elle y a cousu des étoiles dorées. Ses cheveux gris sont coiffés en un chignon énorme surmonté d'une autre étoile. Elle porte des cache-oreilles et une écharpe rouge ketchup. Je me dis qu'avec la neige, ses vêtements deviendront blancs et qu'elle prendra un peu l'allure de la fée que nous désirons. Elle dépose trois gros pots de ketchup maison dans le traîneau. Miam! La cueillette commence bien! Direction monsieur Bello, notre père Noël. Son costume est parfait!

Et la tournée débute. Nous sonnons aux portes. Jasmine explique ce que nous faisons. Les gens offrent des boîtes de conserve, des pâtes, des céréales que nous déposons dans le traîneau. Les chiens ne bronchent pas.

Nous remercions puis chantons *Le Petit Renne au nez rouge,* en tapant des pieds pour nous réchauffer. Notre père Noël y met beaucoup de cœur. Sa belle voix de ténor camoufle nos oublis et nos fausses notes. Mais les gens ferment souvent leur porte avant que nous ayons fini le premier couplet. Trop froid !

À la fin, nous arrivons chez les jumeaux.

— Regardez ! Papa, maman et Rosalie sont à la fenêtre, dit Julie.

Elle leur envoie une bise. Alex sonne.

Nous voyons la maman prendre la petite dans ses bras. Ils ouvrent la porte.

— Ho ! ho ! ho ! rit très fort monsieur Bello en levant les bras en l'air.

Rosalie sursaute et se met à hurler tellement fort que les chiens prennent peur. Ils partent comme des flèches et renversent le traîneau. Les denrées s'éparpillent dans la neige alors que Réglisse et Chocolat continuent leur course.

— Oh, non ! J'espère que les pots de ketchup ne sont pas cassés !

— Je savais qu'on aurait des problèmes avec ces deux monstres, déclare Robin.

Les parents des jumeaux ont refermé la porte. On entend encore les cris de Rosalie. Notre père Noël, lui, est tout à l'envers.

— Je fais peur aux enfants, déclare-t-il, des larmes au bord des yeux.

— Rosalie pleure chaque fois qu'elle voit une mascotte, essaie de le consoler Julie.

— Les jeunes enfants sont souvent comme ça, continue la fée des étoiles d'une voix réconfortante.

Je regarde l'équipage enfin immobilisé à quelques maisons de nous. Zoé tape alors des mains et Jasmine se met à chanter, faux, évidemment. C'est sûrement un signal puisque les chiens reviennent en trombe vers nous, me bousculant au passage. Je m'étale dans la neige, au milieu des provisions.

— Hourra ! J'ai retrouvé un pot de ketchup !

Les chiens me lèchent le visage.

— Beurk ! Laissez-moi, les affamés !

Tout le monde rit un bon moment, puis Jasmine calme les bêtes. Nous récupérons les aliments. Le traîneau déborde. Les adultes iront tout porter à la banque alimentaire.

J'essaie d'imaginer le visage des gens quand ils recevront tout ça. J'espère que ça les fera sourire. Des inconnus mangeront à leur faim à Noël un peu grâce à nous. C'est merveilleux !

6

Noël, c'est l'amour

Nous voilà le 27 décembre. Notre opération Noël a été une grande réussite. Mes copains et moi, nous méritons bien nos vacances. Je les regarde alors qu'ils lisent mes nouvelles bandes dessinées, captivés. Moi, j'ai déjà besoin d'action. Une idée folle me passe par la tête.

— Si on faisait une bande dessinée ensemble ?

Ils ne réagissent pas. Décidément, lire les rend vraiment sourds. Je prends les grands moyens. Je me mets à chanter fort et faux.

— Hou, hou, si on faisait une bande, bande, bande dessinée-née-née ?

— Pitié ! implore Robin. On dirait Jasmine !

Ils m'écoutent tous maintenant.

— Une bande dessinée ? s'étonne Alex.

— Oui. Une bande dessinée racontant l'opération Noël.

— Oui ! Moi, je peux faire les dessins, propose Julie.

— On va tous ressembler à des monstres, ricane Alex.

— Tout le monde va te reconnaître immédiatement, rétorque-t-elle à son jumeau en le chatouillant.

Les yeux de mes copains étincellent. J'ai le cœur joyeux. C'est vrai que faire plaisir aux autres, ça met des bulles dans le cœur. Nous discutons des événements intenses que nous avons vécus.

— Raconter la collecte d'aliments sera drôle! déclare Robin. Surtout quand notre Rouge Tomate était sur le dos dans la neige, une main tenant bien haut le ketchup de notre sorcière des étoiles. Tu pensais juste à sauver ton précieux nectar.

— Non! Je pensais à toutes les bonnes choses qu'il fallait retrouver.

— Oui, cette partie de notre bande dessinée sera amusante, commence Julie, mais il y aura aussi une partie touchante. Souvenez-vous de ce qui s'est passé à la résidence. D'abord, tante Mathilde nous a surpris quand elle a enlevé son manteau noir et qu'on a vu sa robe blanche, digne de la plus belle fée des étoiles.

— Oh, oui ! Et puis, je me rappelle que mes biscuits se sont envolés en deux secondes, ajoute Robin, ravi.

— Moi, je revois le monsieur qui chantait à tue-tête avec nous et la dame à la robe à fleurs qui n'arrêtait pas de nous embrasser, continue Alex.

— Il ne faut pas oublier l'autre dame qui nous a donné des bonbons qui devaient dater de sa jeunesse, rigole Robin. Je revois les mimiques de Zoé et de Jasmine quand elles y ont goûté.

— Et notre arrière-grand-mère qui répétait toutes les trois minutes à madame Sonia que nous étions adorables, ajoute Julie.

— Et tous les gens souriants lorsque le père Noël et la fée des étoiles se sont mis à valser quand nous chantions *Mon beau sapin*. Vraiment, une chance qu'ils soient venus avec nous, ces deux-là !

Mes copains et moi nous taisons un moment, repensant à ces instants précieux.

Nous chantions avec entrain pendant que Jasmine nous dirigeait. Monsieur Bello a alors entraîné tante Mathilde dans sa danse, et j'ai bien vu qu'il se passait quelque chose de merveilleux. Comme ce qui s'est passé entre Julie et moi en juin. J'ai pris la main de ma copine. J'ai chanté un peu plus fort, pour montrer ma joie. Mes copains m'ont regardé, les yeux interrogateurs. Je leur ai fait un signe de tête. Ils ont enfin vu ce que je voyais. Ils ont senti ce que je sentais. La magie de Noël venait d'opérer.

Notre père Noël avait les joues rouges, rouges. Notre fée des étoiles, eh bien ! elle avait des étoiles dans les yeux.

J'ai pensé alors que maman avait bien raison.

Oui, Noël, c'est l'amour !

Et l'amour, c'est rempli de magie !

Ce livre a été imprimé sur du papier 50 % postconsommation,
certifié ÉcoLogo et fabriqué dans une usine fonctionnant au biogaz.

Les Éditions du Boréal
4447, rue Saint-Denis
Montréal (Québec) H2J 2L2
www.editionsboreal.qc.ca

MISE EN PAGES ET TYPOGRAPHIE :
LES ÉDITIONS DU BORÉAL

ACHEVÉ D'IMPRIMER EN OCTOBRE 2015
SUR LES PRESSES DE L'IMPRIMERIE GAUVIN
À GATINEAU (QUÉBEC).